UN OURS EN VILLE

LIS D'AUTRES LIVRES DE LA COLLECTION!

UN OURS EN VILLE

HILDE LYSIAK
ET MATTHEW LYSIAK
ILLUSTRATIONS DE JOANNE LEW-VRIETHOFF
TEXTE FRANÇAIS DE MARIE-JOSÉE BRIÈRE

À ma mamie, Martha Thrash

Photos © : page couverture et ailleurs (spirale) : Kavee Pathomboon/Dreamstime; quatrième de couverture (feuille de papier) : Frbird/Dreamstime; quatrième de couverture (ruban) : _human/Thinkstock; quatrième de couverture (trombone) : Picsfive/Dreamstime; 88 et ailleurs (trombones) : Fosin2/Thinkstock; 88 (punaises) : Picsfive/Dreamstime; 88 (en bas) : gracieuseté de Joanne Lew-Vriethoff; 88 (arrière-plan) : Leo Lintang/Dreamstime.

Catalogage avant publication de Bibliothèque et Archives Canada

Lysiak, Hilde, 2006
[Bear on the loose! Français]

Un ours en ville / Hilde Lysiak et Matthew Lysiak ;
illustrations de Joanne Lew-Vriethoff ;
texte français de Marie-Josée Brière.

(Hilde mène l'enquête; 2)
Traduction de: Bear on the loose!
ISBN 978-1-4431-7302-5 (couverture souple)

I. Lew-Vriethoff, Joanne, illustrateur II. Lysiak, Matthew, auteur
III. Titre. IV. Titre: Bear on the loose! Français

PZ23.L98Our 2018 j813'.6 C2018-902644-8

Édition publiée par les Éditions Scholastic, 604, rue King Ouest, Toronto (Ontario) M5V 1E1.

5 4 3 2 1 Imprimé au Canada 121 18 19 20 21 22

Conception graphique du livre : Baily Crawford

MIXTE
Papier issu de
sources responsables
FSC® C004071

Table des matières

Introduction 1
1 : Poursuite policière! 3
2 : Le premier indice 6
3 : Brisée et griffée! 11
4 : Des camions bruyants 17
5 : Dans la forêt 21
6 : Une tache sombre 28
7 : Un ours! 34
8 : La fête dans la piscine 40
9 : L'heure des enchiladas! 46
10 : En camping 55
11 : On enquête 62
12 : Danger! 66
13 : Ou-ou-ours! 68
14 : Le retour à la nature 74
15 : La maman ourse 79

Selinsgrove
rue Eighth
rue Mill
rue Orange
rue Market
rue Pine
rue Front
rivière Susquehanna
LIEUX IMPORTANTS
1 Marché de la ville
2 Forêt de Selinsgrove
3 Parc Rotary
4 Maison de Sue
5 Poste de police
Maison de Hilde

Introduction

Bonjour! Je m'appelle Hilde (le « e » se prononce « i »). J'ai seulement neuf ans, mais je suis quand même une journaliste sérieuse.

C'est mon père qui m'a tout appris sur ce métier. Il a été journaliste à New York! J'adorais l'accompagner sur les scènes de crime. Chaque reportage était comme un casse-tête. Pour mettre les morceaux en place, il fallait répondre à six questions. Qui? Quoi? Quand? Où? Pourquoi? Comment? Et on réussissait alors à percer le mystère!

J'ai tout de suite su que je voulais être journaliste. Mais je savais aussi qu'aucun grand journal ne voudrait embaucher une enfant. Est-ce que cela m'a arrêtée? Bien sûr que non! J'ai tout simplement créé un journal pour les gens de ma ville et je l'ai appelé *Orange Street News.*

Tout ce qu'il me manquait, c'étaient des histoires qui amèneraient les gens à lire ce journal. Et je n'allais sûrement pas en trouver en restant chez moi! Quand on est journaliste, il faut sortir de la maison pour aller à la chasse aux nouvelles. Et je ne sais jamais où une enquête va me mener...

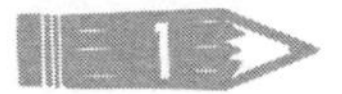

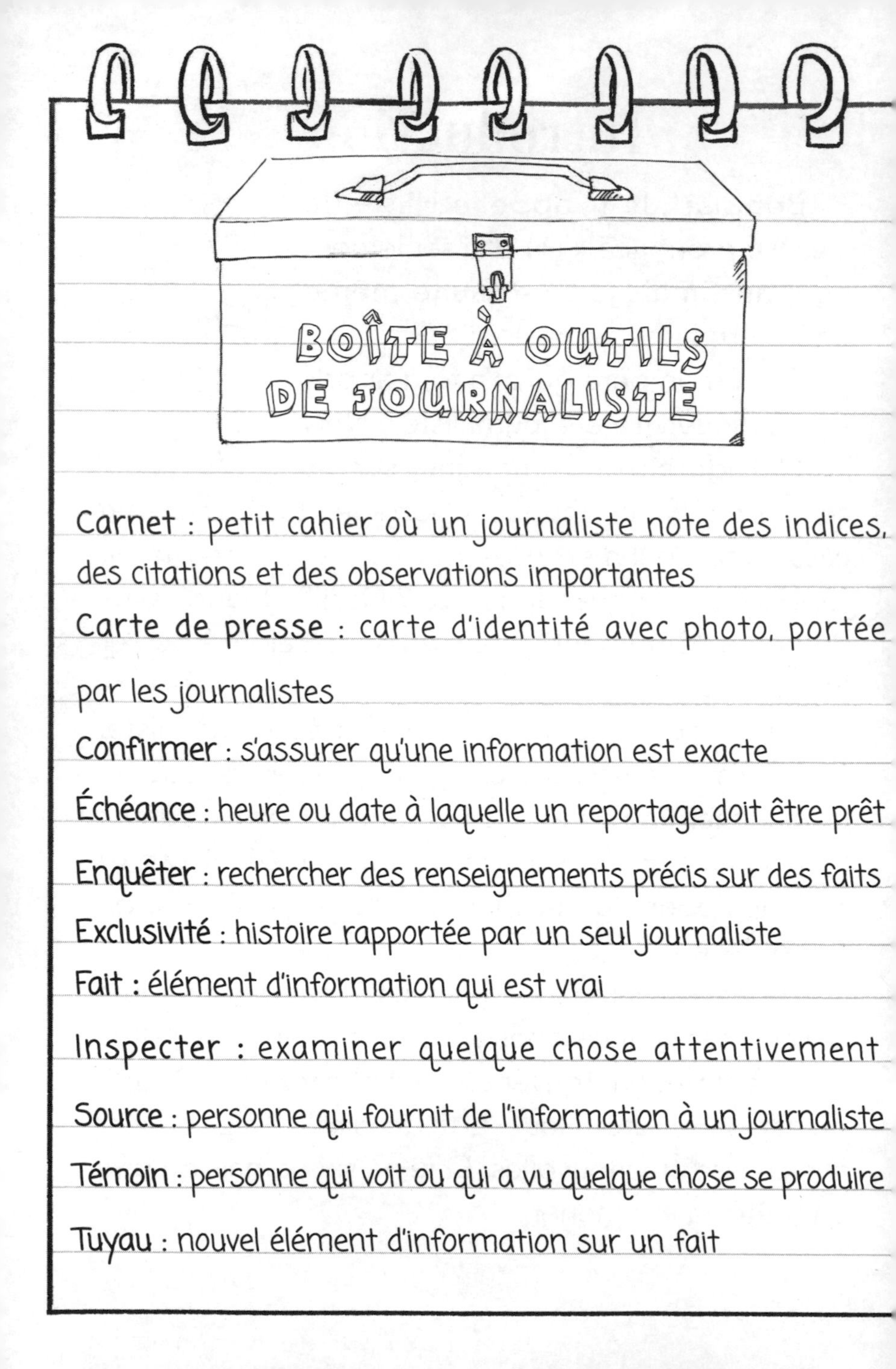

Boîte à outils de journaliste

Carnet : petit cahier où un journaliste note des indices, des citations et des observations importantes

Carte de presse : carte d'identité avec photo, portée par les journalistes

Confirmer : s'assurer qu'une information est exacte

Échéance : heure ou date à laquelle un reportage doit être prêt

Enquêter : rechercher des renseignements précis sur des faits

Exclusivité : histoire rapportée par un seul journaliste

Fait : élément d'information qui est vrai

Inspecter : examiner quelque chose attentivement

Source : personne qui fournit de l'information à un journaliste

Témoin : personne qui voit ou qui a vu quelque chose se produire

Tuyau : nouvel élément d'information sur un fait

1 Poursuite policière!

L'agent Dee, ma source la plus fiable au service de police de Selinsgrove, descendait en courant la rue Market. On ne voyait de lui qu'un éclair bleu.

Ma grande sœur Izzy pédalait pendant que je me tenais debout à l'arrière de sa bicyclette.

— Tu penses vraiment qu'il y a un ours en ville? a demandé Izzy.

Cela paraissait complètement fou, mais Izzy et moi, on avait entendu toutes les deux la même chose : l'agent Dee avait dit qu'il y avait un ours à Selinsgrove. Il avait reçu un appel à ce sujet.

— Tous les tuyaux doivent être confirmés! ai-je répondu. Ça veut dire qu'il faut vérifier les faits. Pédale plus vite, Izzy!

Mon cœur battait à toute vitesse. Une bonne histoire avec la photo d'un ours pourrait être le reportage le plus important de notre vie, car les gens adorent les histoires d'animaux!

Izzy s'est mise à pédaler plus fort.

— Je vais aussi vite que je peux! a-t-elle dit.

L'agent Dee a tourné à droite dans la rue Pine. Izzy a viré brusquement pour le suivre, et je me suis accrochée à ses épaules.

J'avais un bon tuyau sur ce qui s'était passé (le « Quoi? ») : il y avait un ours en ville. Mais je devais trouver beaucoup d'autres réponses si je voulais avoir une histoire digne du journal.

Qui? Quoi? Quand? Où? Pourquoi? Comment?

L'agent Dee courait vite.

Mais avec sa bicyclette, Izzy était plus rapide que lui.

On allait le rattraper quand il s'est élancé sur la pelouse à côté du Marché de la ville.

Le Marché de la ville, c'est le magasin le plus populaire du coin. Le bœuf séché qu'on y vend est une de mes collations préférées.

— L'agent Dee est parti à l'arrière du magasin! a dit Izzy.

J'ai sauté de la bicyclette.

— Viens! Allons enquêter! ai-je dit.

On a couru vers la cour et on est restées sans voix en apercevant ce qu'il y avait là!

2 Le premier indice

Des pelures de bananes, du café moulu, des boîtes de carton et d'autres déchets de toutes sortes jonchaient l'herbe verte derrière l'épicerie. On aurait dit qu'une tornade avait frappé un camion à ordures plein de... eh bien, d'ordures! Le fouillis s'étendait loin derrière, jusqu'à la forêt de Selinsgrove!

— Dégueu! s'est écriée Izzy en commençant à prendre des photos.

J'ai aperçu tout de suite l'agent Dee. Il était déjà en train de parler à M. Troutman, le propriétaire de l'épicerie. Les deux hommes regardaient une mangeoire à oiseaux rouge tombée par terre.

Pourquoi est-ce qu'ils s'intéressaient à une mangeoire à oiseaux?

Tout bon journaliste sait qu'il ne faut jamais interrompre un policier pendant qu'il interroge quelqu'un. Mais je devais quand même mener mon enquête. J'ai sorti mon carnet de notes et je me suis approchée pour écouter ce qu'ils disaient.

J'ai jeté un coup d'œil à la mangeoire… et j'ai cru que les yeux allaient me sortir de la tête!

La tige de métal noir sur laquelle elle était posée semblait avoir été arrachée du sol et pliée en deux.

J'ai désigné la mangeoire pour attirer l'attention d'Izzy. Elle est arrivée en courant.

— On dirait que cette mangeoire a été renversée par un dinosaure en colère! s'est-elle écriée.

On s'est penchées pour regarder de plus près.

Il y avait cinq longues égratignures sur la mangeoire!

J'ai pris quelques notes.

L'agent Dee a fini par s'éloigner de M. Troutman. Il m'a fait un petit signe de tête avant de se mettre à inspecter la scène. C'était sa façon de me faire comprendre qu'il en avait terminé avec le témoin.

J'en ai profité.

— Bonjour, monsieur Troutman, ai-je dit en marchant vers lui.

— Bonjour, Hilde, a-t-il dit. Si tu cherches du bœuf séché, tu vas devoir revenir demain. J'ai fermé de bonne heure pour pouvoir ramasser tout ce fouillis.

— En fait, je suis ici pour des raisons professionnelles, ai-je dit en montrant ma carte de presse. Je suis reporter pour mon journal, l'*Orange Street News.* J'aimerais vous poser quelques questions sur ce qui vient de se passer.

— Bien sûr. Eh bien, j'étais à l'intérieur et je me préparais à fermer boutique quand j'ai entendu tout un vacarme dehors.

— Un vacarme? ai-je demandé.

— Oui, on aurait dit que quelqu'un frappait sur mes poubelles comme si c'étaient des tambours, a-t-il ajouté.

— Et qu'est-ce qui s'est passé ensuite?

— Je suis sorti dans la cour en m'attendant à devoir disputer de jeunes voyous, a poursuivi M. Troutman. Mais là, je l'ai vue!

3 Brisée et griffée!

J'ai pris mon crayon pour me préparer à prendre des notes dans mon carnet.

— Qu'est-ce que vous avez vu, monsieur Troutman? ai-je demandé.

— J'ai vu ma mangeoire toute brisée, a répondu M. Troutman. Et en regardant de plus près, j'ai trouvé *ceci* coincé dedans!

Il m'a montré une petite touffe de fourrure noire.

— Qu'est-ce que c'est? ai-je demandé.

— Je ne suis pas un spécialiste des animaux, mais je pense que c'est de la fourrure qui vient d'un gros ours! a-t-il dit.

Un indice!

QUI : Un ours, mais de quel type?

OÙ : Derrière le Marché de la ville

QUOI : Des poubelles renversées, une mangeoire tordue et griffée

Izzy a pris une photo de M. Troutman à côté de la mangeoire. Une bonne photo de journal, c'est une photo qui aide à comprendre l'histoire. Je savais que celle-ci allait être excellente!

Clic!

Ensuite, Izzy a pris un gros plan de la touffe de fourrure. *Clic!*

— J'ai tout de suite appelé la police, a ajouté M. Troutman. Je me suis dit que les agents seraient contents que je les avertisse pour qu'ils puissent protéger les gens.

— À quelle heure avez-vous entendu les bruits de tambours? ai-je demandé.

— Il y a environ une demi-heure, a-t-il répondu.

J'ai regardé l'heure. Il était presque 18 h 30.

QUAND : Bruits de tambours vers 18 h

— Merci, monsieur Troutman, ai-je dit.

M. Troutman a commencé à ramasser les déchets.

L'agent Dee avait fini d'inspecter la scène du crime. Il s'est approché de nous.

— Bonjour, monsieur l'agent! ai-je dit.

— Tiens! Hilde! Izzy! Vous revoilà!

Izzy lui a souri.

— On dirait bien qu'il y a un ours en ville!

— Les filles, si vous songez à vous mettre à la recherche de cet ours pour écrire un article, je tiens à vous rappeler que les ours peuvent être très dangereux, a-t-il dit. Si vous en voyez un, la meilleure chose à faire, c'est d'agiter les bras pour avoir l'air plus grandes et de reculer lentement. Soyez prudentes!

Il m'a remis le numéro d'un agent de la faune, juste au cas où on verrait quelque chose.

— Merci! ai-je dit.

— On va faire attention, a ajouté Izzy.

L'agent Dee est reparti vers le poste de police.

Mon estomac gargouillait. J'ai regardé l'heure encore une fois. Il était 18 h 40. Il nous restait seulement une heure et vingt minutes avant de devoir rentrer à la maison pour le souper.

On soupe habituellement en famille à 18 heures. Mais ce soir-là, maman et papa avaient reporté le repas à 20 heures puisqu'ils savaient qu'on était occupées à enquêter sur une grande nouvelle.

— On devrait chercher d'autres indices, ai-je dit. Il faut qu'on trouve cet ours.

Mais Izzy ne m'a pas entendue. Elle avait les yeux tournés vers la rue Pine, la bouche figée en un O géant.

J'ai suivi son regard.

C'était Donnie et Leon.

— Les Ados-méchants! me suis-je écriée. Ils se dirigent vers nous!

Les Ados-méchants sont des adolescents de la rue Orange, bien connus pour leur attitude détestable. Un peu plus tôt, l'enquête que j'avais menée pour l'*Orange Street News* avait permis d'attraper Maddy, l'amie de Donnie et de Leon. Elle avait triché pour essayer de remporter le concours de pâtisserie.

— Je parie qu'ils sont fâchés contre nous parce qu'on a dénoncé Maddy, a dit Izzy.

— Ils vont être encore plus méchants que d'habitude! ai-je renchéri. Mais, qui sait? Ils pourraient peut-être nous dire quelque chose au sujet de l'ours.

— Bien sûr! a répondu Izzy en levant les yeux au ciel. Parce que les Ados-méchants sont toujours tellement serviables...

— Eh bien, on va devoir les affronter un de ces jours, ai-je dit. Autant en finir tout de suite...

4 Des camions bruyants

Donnie et Leon se sont approchés d'un pas nonchalant. Ils nous ont regardées d'un air mauvais, comme si on était des fissures sur leur écran de téléphone.

J'ai senti mes paumes devenir moites.

Izzy s'est avancée vers eux en s'efforçant d'avoir l'air brave.

— Si vous êtes fâchés parce qu'on a mis Maddy dans le pétrin, alors...

— T'inquiète pas, a coupé Donnie. On n'est pas ici pour vous parler de Maddy.

— Non? ai-je demandé.

— Nan! a ajouté Leon. Maddy a fait des choses stupides. Elle a bien mérité ce qui lui est arrivé.

J'ai poussé un long soupir de soulagement.

— Avez-vous vu ou entendu quelque chose au sujet d'un ours, les gars? ai-je demandé.

— Un ours? s'est exclamé Donnie en riant. Notre mignon petit bébé journaliste a lu des contes de fées?

— On regarde juste les camions qui s'en vont au chantier dans la forêt, a dit Leon. C'est cool!

Un chantier dans la forêt? Je me suis demandé ce qu'on construisait là...

VRRRROUM! Un grondement sonore nous est parvenu des profondeurs de la forêt. Le camion qui faisait ce bruit était sûrement énorme. J'ai pris la chose en note.

Donnie et Leon se sont regardés.

— Suivons le bruit! a crié Donnie.

Les garçons ont disparu dans la forêt.

— Il est presque 19 heures, a fait remarquer Izzy

en jetant un coup d'œil à son téléphone. On devrait peut-être rentrer à la maison, non?

— Attends! ai-je dit en montrant deux traces de pattes sur un petit coin de terre sèche.

Les traces étaient légères, mais je voyais bien qu'elles menaient dans la forêt.

Je me suis dirigée vers les arbres, mais Izzy n'a pas bougé.

— Allez, viens, Izzy! ai-je lancé. Une journaliste ne peut pas mener son enquête sans photographe! Et il *faut* qu'on suive ces traces!

— Je ne sais pas, Hilde, a-t-elle protesté. Souviens-toi de la mise en garde de l'agent Dee : les ours peuvent être très dangereux.

— On n’est même pas sûres que ce sont des traces d’ours, ai-je répondu.

Izzy est restée plantée là.

Je sentais mon cœur battre très fort. Je savais que ce n’était pas une très bonne idée de partir à la recherche d’un ours, mais je voulais vraiment être la première à raconter cette histoire, même si je devais y aller seule.

J’ai inspiré profondément et j’ai pénétré dans la forêt.

Dans la forêt

Je me suis arrêtée à la lisière de la forêt, toute seule. J'ai attendu un peu, en espérant qu'Izzy allait me suivre.

— J'arrive, a dit Izzy. Mais si je vois un ours géant, ne crois pas que je vais rester là pour prendre une photo.

— Marché conclu! ai-je répondu en souriant.

On s'est enfoncées plus loin dans la forêt. Les branches des arbres bloquaient la lumière du soleil, ce qui créait de grandes ombres tout autour de nous. Il y avait de hautes herbes et des plantes piquantes partout. Izzy et moi avons ramassé des bâtons par terre et on s'en est servies pour ouvrir un chemin.

— Aller dans la forêt alors qu'il y a un ours en cavale... a fait Izzy en secouant la tête. C'est de la folie, même pour toi, Hilde.

Les feuilles craquaient sous nos pas. On aurait dit que quelqu'un froissait du papier.

— Une bonne journaliste doit se concentrer sur la découverte de la vérité, ai-je répondu. Il faut qu'on trouve l'ours et qu'on comprenne pourquoi il est allé en ville.

— Ouais, si on ne lui sert pas de collation avant! a dit Izzy.

VRRRROUM! Le grondement était tellement fort que je me suis couvert les oreilles.

— Ça doit être un chantier de construction gigantesque, a fait remarquer Izzy.

D'où on était, en haut de la colline, on voyait une clairière en bas. Un gros camion qui traînait de longs billots de bois s'est mis à remonter un chemin de terre.

On a continué à suivre les traces de l'animal dans la forêt. Bientôt, on est arrivées au bord d'un ruisseau asséché dont le fond était rempli de cailloux. Les traces se terminaient sur la rive.

— Les traces ont disparu! ai-je lancé.

— Alors, qu'est-ce qu'on fait? a demandé Izzy.

— Continuons un peu, ai-je dit. Si on ne les retrouve pas, on fera demi-tour.

— Bonne idée, a dit Izzy en s'engageant le long du ruisseau. Hé, regarde.

Elle pointait le doigt vers une flaque de boue.

J'ai baissé les yeux. Izzy avait retrouvé les traces!

Elle a pris une photo. *Clic!*

— Ça ressemble bel et bien à une patte d'ours, ai-je dit en avalant ma salive.

VRRRROUM! Un autre camion est passé dans un bruit d'enfer. J'ai senti tout mon corps trembler.

On a poursuivi notre chemin. Sans quitter les traces des yeux, j'ai emboîté le pas à Izzy. Mais bientôt, je lui ai foncé dans le dos. Elle s'était arrêtée.

— Hilde, est-ce que ton estomac gargouille? a-t-elle murmuré.

J'ai tendu l'oreille. Mais je n'entendais rien. Et puis...

GRRRRRRRRR! Le grognement était tellement fort que j'ai eu du mal à retenir un hurlement!

— On dirait... un ours géant! me suis-je écriée.

— Hilde, il faut qu'on agite les bras et qu'on recule lentement, comme l'agent Dee nous l'a recommandé! a crié Izzy.

On s'est mises à marcher à reculons. Mais Izzy a trébuché sur un buisson d'aubépine. Et moi, j'ai trébuché sur Izzy!

Izzy s'est relevée rapidement. J'ai essayé de faire la même chose, mais mon tee-shirt était pris dans les épines du buisson.

Izzy a tiré sur mon tee-shirt. Mais il était vraiment bien accroché.

En entendant les feuilles craquer, on se rendait bien compte que quelque chose avançait vers nous. Et bientôt, cette chose allait être toute proche!

6 Une tache sombre

Izzy continuait à tirer sur ma manche pour la dégager du buisson plein d'épines.

— Vite! ai-je crié.

Juste au moment où Izzy réussissait enfin à me dégager, on a vu une tache sombre passer entre les arbres à côté de nous.

— L'ours! a crié Izzy en pointant le doigt.

— Ouah! Il était tout près! ai-je dit. Et tu l'as vu, cet ours?

— Ouais, a dit Izzy. Il courait vers la ville!

J'ai épousseté mon tee-shirt.

— As-tu pris une photo? ai-je demandé.

— J'étais un peu occupée à te sauver la vie! a répliqué Izzy, les sourcils froncés.

Elle avait raison.

— Excuse-moi, ai-je dit.

Izzy a souri, mais elle a vite repris son air sérieux.

— Maintenant, on devrait appeler cette agente de la faune, a-t-elle dit.

Elle avait raison. L'agent Dee avait dit qu'on devait appeler l'agente de la faune, Pam, si on voyait l'ours. Mais est-ce qu'on pouvait être sûres de ce qu'on avait *vraiment* vu?

— Es-tu absolument certaine que c'était un ours? ai-je demandé.

Izzy a secoué la tête lentement.

— Non, a-t-elle dit. Mais ça avait de la fourrure, c'était gros et ça courait vite.

— Il y a beaucoup de chevreuils dans la forêt, ai-je fait remarquer. Tu es sûre que ce n'en était pas un?

— Eh bien… je ne suis pas vraiment sûre, a dit Izzy en se frottant le menton.

— Alors, on ferait peut-être mieux de ne pas appeler tant qu'on n'aura pas d'autres informations, ai-je dit. Surtout que l'agent Dee nous a bien averties de ne pas poursuivre les ours.

Izzy a hoché la tête.

— Et avec le bruit du chantier, je ne peux même pas être certaine qu'on a entendu un grognement...

— Tu vois? On a besoin de preuves avant d'appeler des renforts, ai-je dit. Il nous reste combien de temps avant le souper?

— Trente minutes, a répondu Izzy en regardant son téléphone.

On est vite retournées sur nos pas pour sortir de la forêt. Quand on est arrivées au Marché de la ville, il commençait à faire noir.

On a sauté sur la bicyclette d'Izzy. Elle a pris la rue Pine et ensuite, elle a tourné à droite dans la rue Orange.

C'est alors qu'on a entendu des cris. Ils venaient du parc Rotary.

— On dirait qu'il y a quelqu'un en difficulté dans le parc! s'est écriée Izzy.

— Allons voir! ai-je dit.

— D'accord, a répondu Izzy. Accroche-toi!

Elle a viré à droite brusquement et a sauté sur le trottoir avec sa bicyclette pour prendre un raccourci jusqu'au parc Rotary. Quelques secondes plus tard, elle s'est arrêtée en faisant crisser ses pneus devant la grille du parc.

Les cris venaient de l'intérieur du château miniature. Joey et Kristen, deux petits de première année qui habitent en face de chez nous, ont bondi sur leurs pieds et se sont mis à courir vers nous dès qu'ils nous ont aperçues. On aurait dit qu'ils venaient de voir un fantôme!

— Vous ne croirez pas ce qui vient de nous arriver! a crié Joey.

Parc Rotary

Un ours!

J'ai demandé à Joey et à Kristen :

— Pouvez-vous nous dire ce qui s'est passé?

— Il y a un ours énorme dans le parc! a dit Kristen. Il a failli nous manger!

Des témoins! Il fallait que je sache exactement ce qu'ils avaient vu, et où.

— Commençons par le commencement, ai-je dit.

Joey a montré du doigt le petit château.

— On était là. On lançait des cailloux sur le carrousel. On essayait de voir qui serait le premier à atteindre le cercle du milieu. C'est à ce moment-là qu'on a entendu un grognement terrifiant.

— C'était un ours énorme, avec des dents immenses! a jouté Kristen.

— Ouais, a fait Joey. Il avait aussi des griffes immenses et il faisait un bruit, genre *grrrrrrrrr!*

Izzy s'est tournée vers moi.

— Ça ressemble au grognement qu'on a entendu dans la forêt de Selinsgrove.

— Ça veut dire qu'on a vraiment entendu un ours! Il a dû s'enfuir par ici! ai-je dit.

J'ai tout noté et je me suis tournée vers Izzy.

— Si l'ours était ici il y a quelques minutes, où peut-il être maintenant?

— Je ne sais pas, a répondu Izzy, mais c'est certainement le moment d'appeler Pam.

J'ai continué à interroger Joey et Kristen pendant qu'Izzy téléphonait à l'agente de la faune pour lui raconter ce qui s'était passé.

— À quoi ressemblait exactement cet ours? ai-je demandé.

— Euh... a bredouillé Joey.

Il s'est gratté la tête et s'est tourné vers Kristen.

Elle a baissé les yeux.

— On ne sait pas vraiment, a-t-elle répondu.

— Qu'est-ce que tu veux dire? ai-je demandé.

— Eh bien, dès qu'on a entendu grogner, on est allés se cacher, a dit Joey.

J'ai cessé d'écrire.

— Si vous ne l'avez pas vu, comment savez-vous que c'était un ours énorme, avec des griffes et des dents *immenses*? ai-je demandé.

— On n'avait jamais entendu un grognement aussi effrayant, a dit Joey. Tu ne nous crois pas?

— Ce n'est pas une question de croire ou de ne pas croire, ai-je dit. Je rapporte des faits. Un de ces faits, c'est que vous avez entendu un grognement. Mais il y a aussi un autre fait : vous n'avez pas *vu* d'ours.

Tout à coup, j'ai entendu Izzy m'appeler.

OÙ : Parc Rotary

GRRRR
GRRRR

QUOI : Des grognements

GRRRR
GRRRR

— Viens voir!

Elle était en train de prendre des photos dans le bac à sable.

Il y avait de grandes traces. Elles allaient dans la direction de la rue Orange. Elles étaient plus nettes que celles qu'on avait vues dans la forêt. Et on distinguait sur chacune cinq petites marques de doigts!

— D'autres pistes! Bravo, Izzy! ai-je lancé. Alors, qu'est-ce que Pam t'a dit?

— Elle a dit qu'elle allait examiner le secteur, a répondu Izzy, et qu'on devait tous rentrer chez nous.

— On vous avait dit qu'il y avait un ours! s'est écriée Kristen.

— C'est l'heure du dodo! a déclaré la mère de Joey et de Kristen.

J'ai regardé l'heure.

— Il est 19 h 50, ai-je fait remarquer.

— Il faut qu'on y aille nous aussi! s'est écriée Izzy.

Juste à ce moment-là, on a entendu des sirènes.

— Je connais ce son-là! ai-je dit. C'est celui d'une nouvelle de dernière heure!

On a sauté toutes les deux sur la bicyclette, on a coupé à travers le terrain d'un voisin et on a aperçu des lumières clignotantes. On aurait dit que c'était devant chez nous.

8 La fête dans la piscine

En s'approchant, on s'est rendu compte que la voiture des policiers n'était pas garée devant chez nous. Elle était juste à côté, devant chez Sue.

Izzy a appuyé sa bicyclette sur le poteau de téléphone, puis elle a sorti son appareil photo.

— J'espère que l'ours n'a pas fait de mal à Brian! ai-je dit.

Brian, c'est l'adorable petit cochon de compagnie de Sue.

On a couru vers la clôture qui sépare notre cour de celle de Sue. On a entendu des voix. Alors on a collé nos oreilles contre le bois. Un bon journaliste sait quand il faut écouter discrètement!

Mais on n'entendait pas ce que les gens disaient de l'autre côté!

On a attendu.

Enfin, la barrière s'est ouverte et l'agent Wentworth est sorti avec son air maussade habituel. Après son départ, on a appelé Sue par-dessus la clôture. Elle nous a fait un signe de la main et on s'est précipitées dans sa cour.

J'ai sorti mon carnet de notes.

— Allô, a dit Sue. Vous êtes ici en tant que voisines curieuses ou en tant que journalistes, les filles?

— Les deux! ai-je répondu en souriant. Tout va bien? Peux-tu nous dire pourquoi l'agent Wentworth est venu?

— Regardez, a dit Sue.

Elle nous a montré la porte d'accès à sa grande piscine dans sa cour, derrière nous.

On s'est avancées pour examiner la scène.

Brian est arrivé dans la cour. Sue s'est mise à rire.

Brian couinait. On aurait dit que quelqu'un laissait sortir l'air d'un ballon gonflé à l'hélium. Il s'est approché de nous et on a caressé toutes les deux son petit dos rose et tout doux.

Mais je savais qu'on devait faire vite. Je me suis retournée vers la piscine.

— Ouille! ai-je lancé.

Le verrou de la porte était brisé! Et la porte était égratignée.

Izzy a pris une photo.

— Et ce n'est pas tout, a dit Sue. Le bol de nourriture de Brian a été brisé et vidé. De plus, tous ses fruits séchés ont disparu!

J'ai tout noté.

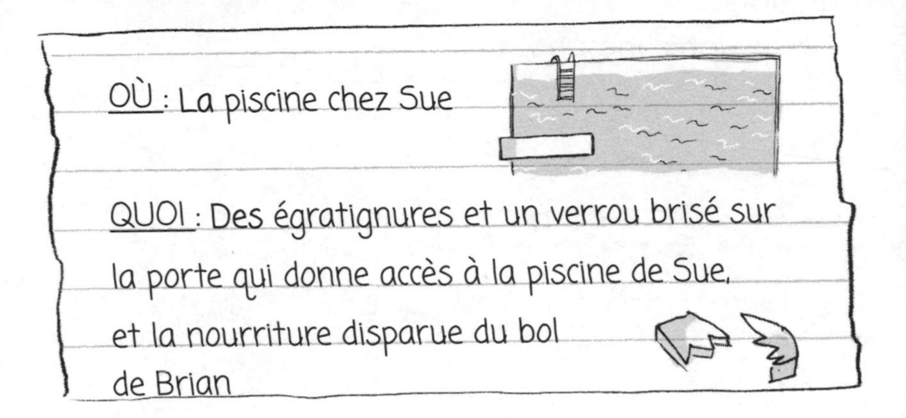

— Est-ce qu'il y a autre chose? ai-je demandé.

Sue s'est gratté la tête.

— Pas vraiment, mais l'agent Wentworth a dit qu'il avait peur qu'il y ait un ours en cavale. Alors, je vais garder Brian dans la maison pour la nuit.

— Bonne idée, ai-je dit.

— Il m'a aussi donné le numéro de l'agente de la faune, Pam. Il m'a dit de l'appeler si je voyais l'ours, a-t-elle ajouté. Faites attention, les filles.

— Bien sûr, ai-je dit. Merci.

En marchant vers notre cour, Izzy a affiché la photo de la mangeoire à oiseaux.

— Regarde! a-t-elle dit. Les égratignures ressemblent beaucoup à celles qu'on a vues sur la porte d'accès à la piscine, dans la cour de Sue!

— En effet! ai-je dit. L'animal qui a fait tomber cette mangeoire est le même que celui qui s'est attaqué à la porte!

Izzy a regardé l'heure. Il était 19 h 59!

— Hilde! a lancé Izzy. Si on n'est pas à la maison dans une minute, papa va être encore plus terrifiant que cet ours géant!

L'heure des enchiladas!

On est entrées en courant dans la maison.

— On est là!

— Juste à temps, a dit ma mère en posant sur la table un plat rempli d'enchiladas bien chaudes.

On voyait la vapeur s'échapper de la garniture de fromage qui bouillonnait encore. J'avais hâte d'y goûter!

Les chaises de mes petites sœurs, Georgie et Juliet, étaient vides. Elles étaient déjà couchées.

— Quelle est la grande exclusivité sur laquelle mes filles enquêtent en ce moment? a demandé mon père en prenant une cuillerée de fèves noires.

— On tient une histoire incroyable! a répondu Izzy.

— Et on a failli être mangées par un ours géant! ai-je ajouté.

— Un ours géant? a fait mon père.

Il a levé les sourcils comme s'il pensait qu'on lui faisait une blague.

Ma mère est venue s'asseoir. Cela voulait dire qu'on pouvait commencer à manger.

— Eh bien, pourquoi est-ce que vous n'invitez pas votre ami à fourrure à souper? a-t-elle dit. On a assez d'enchiladas pour lui.

Ma mère et mon père se sont mis à rire tous les deux.

Izzy a levé les yeux au ciel.

— Ils nous croiront quand ils liront notre histoire, ai-je chuchoté.

Izzy a hoché la tête.

— Ouais, mais on va devoir se remettre au travail!

Je me suis dépêchée d'avaler le contenu de mon assiette, et Izzy aussi.

— Vous avez faim? a demandé ma mère en souriant. Tant mieux parce que j'ai une croustade toute chaude pour le dessert. Je l'ai faite avec des bleuets sauvages que j'ai cueillis tout à l'heure derrière la maison.

On a fini notre dessert encore plus vite!

Puis on a fait la vaisselle et on est montées dans ma chambre en courant.

On s'est assises par terre toutes les deux.

— C'est le moment de revoir nos notes, ai-je dit en ouvrant mon carnet.

QUI?
Un ours énorme
MAIS QUEL TYPE D'OURS??
QUAND?
Ce soir, après 18 heures
GRRRR
GRRRR
OÙ?
Derrière le Marché de la ville
Dans la forêt de Selinsgrove
Dans le parc Rotary
Dans la cour de Sue
MAIS OÙ EST L'OURS EN CE MOMENT??

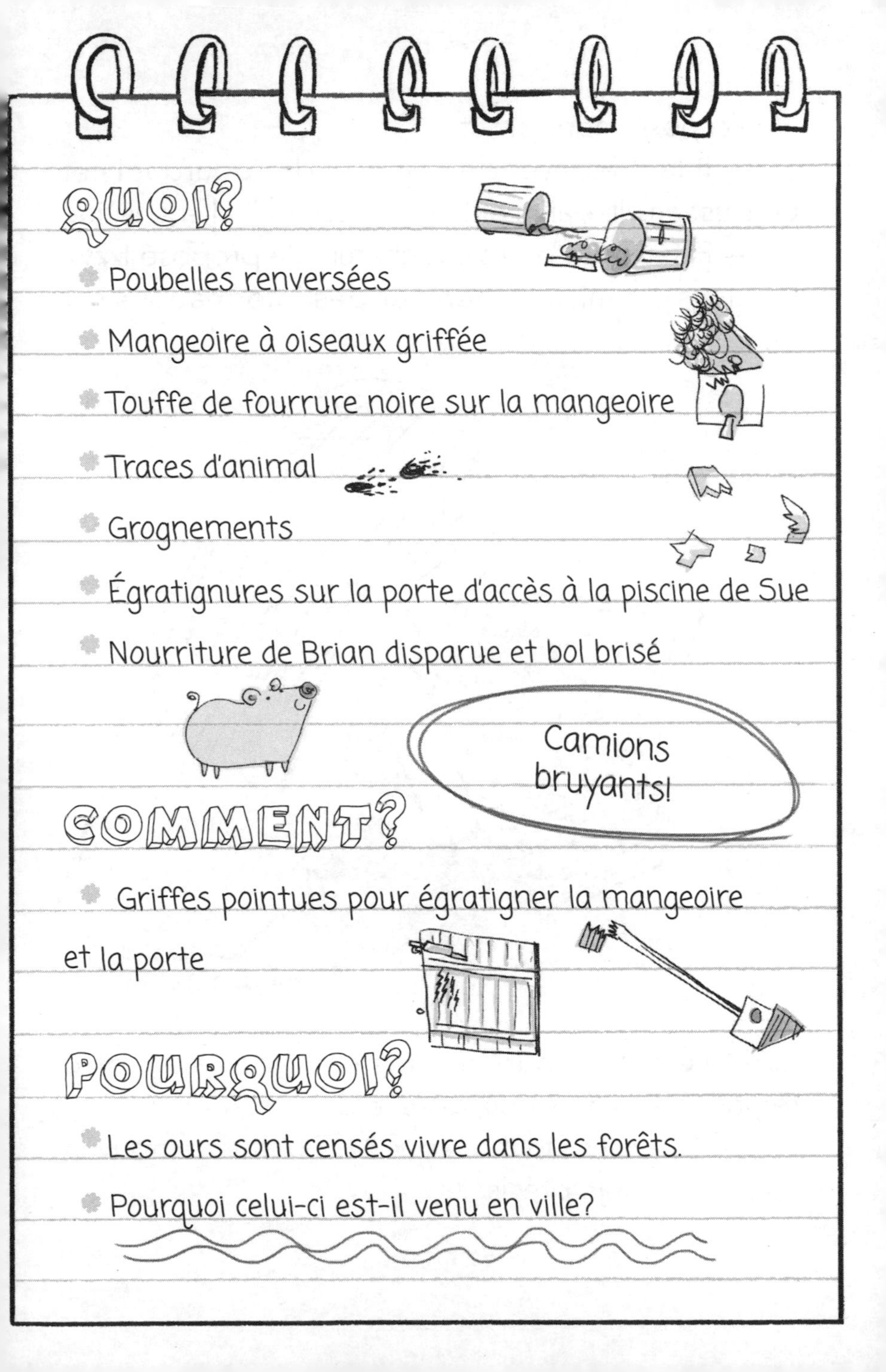
QUOI?
Poubelles renversées
Mangeoire à oiseaux griffée
Touffe de fourrure noire sur la mangeoire
Traces d'animal
Grognements
Égratignures sur la porte d'accès à la piscine de Sue
Nourriture de Brian disparue et bol brisé
Camions bruyants!
COMMENT?
Griffes pointues pour égratigner la mangeoire et la porte
POURQUOI?
Les ours sont censés vivre dans les forêts.
Pourquoi celui-ci est-il venu en ville?

J'ai posé mon carnet.

— Il faut essayer de comprendre pourquoi cet ours est en ville, ai-je dit, et où il pourrait aller ensuite.

— Faisons un peu de recherche, a proposé Izzy.

Elle s'est mise à chercher des informations sur les ours.

— Le type d'ours le plus courant dans notre région, c'est l'ours noir, a-t-elle dit.

— Attends! La fourrure que M. Troutman a trouvée était noire! ai-je précisé.

— Super! Alors, c'est probablement un ours noir. Laisse-moi voir si je peux trouver ce que les ours noirs aiment faire et ce qu'ils aiment manger, a ajouté Izzy.

Elle a tapé encore quelques mots.

— Les ours noirs adorent nager. Ils mangent des petits fruits sauvages... et des déchets, a-t-elle lu à haute voix.

— Qu'est-ce qu'il y a d'autre? ai-je demandé.

— Eh bien… ils sont de plus en plus chassés de leur territoire par les activités d'aménagement.

— Les activités d'aménagement? ai-je demandé.

— Les travaux de construction comme ce que faisaient les camions qu'on a vus dans la forêt de Selinsgrove, a expliqué Izzy.

Elle s'est tournée vers moi. Je n'ai pas pu m'empêcher de rire. Elle avait les coins de la bouche tachés de bleu, à cause de la croustade aux bleuets. Elle s'est essuyée du revers de la main.

Et tout à coup, ça m'a frappée!

— Izzy, je sais comment on va résoudre cette énigme! ai-je dit.

10 En camping

J'ai bondi sur mes pieds.

— Écoute ça, Izzy : les ours aiment les petits fruits!

— Ouais, et alors? Je viens de te le dire, a répliqué Izzy. C'est quoi, ton idée géniale?

— Eh bien, on sait qu'il y a un ours pas loin d'ici. Et on a des bleuets sauvages dans la cour! Donc, on peut aller en ramasser, ai-je dit en notant mes idées. On peut faire une piste de bleuets entre la porte d'accès à la piscine chez Sue, là où il a été vu en dernier, et nos plants, dans la cour. Avec un peu de chance, l'ours suivra cette piste jusque chez nous! Et alors, on appellera l'agente de la faune, Pam, pour qu'elle vienne le chercher!

MON PLAN FRUCTUEUX
Maison de Sue
Bleuets
Porte d'accès à la piscine chez Sue

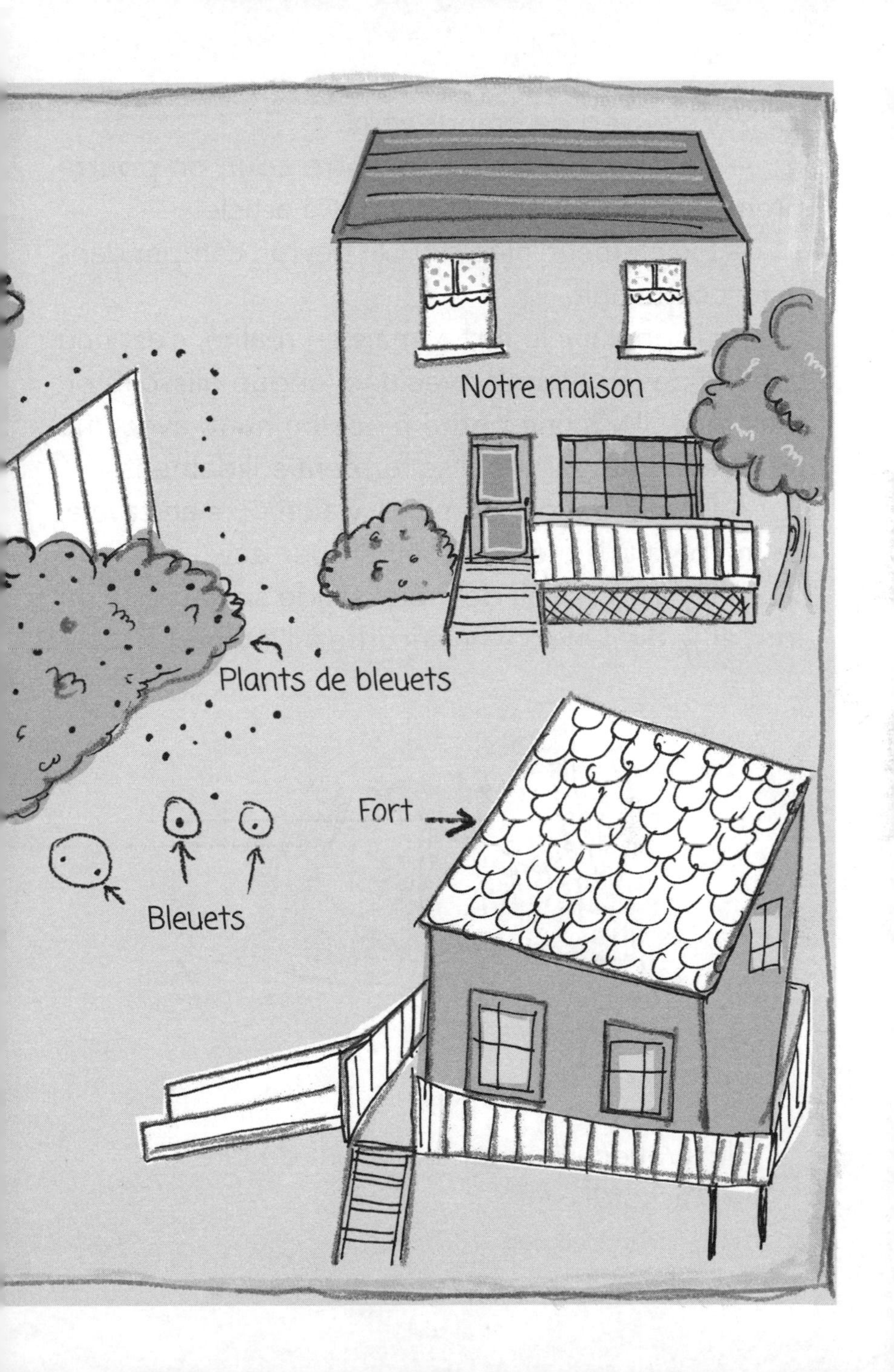
Notre maison
Plants de bleuets
Fort
Bleuets

Izzy a ouvert de grands yeux.

— Et si l'ours vient dans notre cour, on pourra prendre la photo idéale pour notre article!

— Exactement! ai-je dit. On devrait camper dans le fort cette nuit.

On l'appelle « le fort », mais en réalité, c'est une cabane de jeu en bois avec une longue glissoire en plastique. Il y a une petite pièce en haut, avec une fenêtre et une porte qui se ferment solidement.

— Dormir dehors alors qu'il y a un ours en cavale, ça me paraît risqué, a fait remarquer Izzy.

— Il y a un verrou de métal solide sur la porte du fort, ai-je dit. On sera en sécurité à l'intérieur.

Elle a réfléchi un moment avant de dire :

— D'accord!

On a commencé par ramasser des bleuets sur les plants de notre cour. Ensuite, on a tracé notre piste et, pour finir, on a placé un petit tas de bleuets à côté de la porte d'accès à la piscine de Sue.

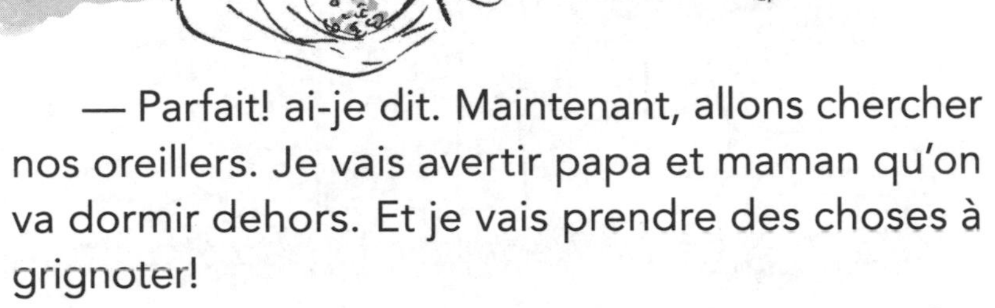

— Parfait! ai-je dit. Maintenant, allons chercher nos oreillers. Je vais avertir papa et maman qu'on va dormir dehors. Et je vais prendre des choses à grignoter!

— Hé! Pourquoi c'est toi qui t'en occupes? a demandé Izzy en plissant le nez.

— C'est toujours la journaliste qui s'occupe des collations, ai-je dit.

— Je sais que tu viens d'inventer ça, a répondu Izzy en riant, mais ça va. Je t'attends dans le fort!

J'ai dit à mes parents où on allait avant de m'emparer d'une assiette de carrés au chocolat.

Quand je suis arrivée au fort, Izzy était près de la fenêtre, en train de mettre au point les réglages de son appareil photo.

— N'oublie pas, ai-je dit. Une photo réussie peut transformer une bonne une histoire en une histoire *extraordinaire!*

Izzy a installé en souriant son appareil photo sur un trépied. Puis elle a aperçu les carrés au chocolat.

— Bravo! a-t-elle dit en prenant une bouchée.

On s'est appuyées sur le mur du fort.

— Je vais faire le premier tour de surveillance, a offert Izzy.

— D'accord. Je vais commencer à écrire mon article.

J'ai pris mon téléphone et je me suis mise à taper... Mais bientôt, mes paupières ont commencé à s'alourdir. Je n'y pouvais rien : la journée avait été longue, et complètement folle. Je me suis endormie.

PLOUF! J'ai été réveillée par un bruit. Une douce lueur orange et rose entrait par la fenêtre du fort. Le jour se levait. Je me suis frotté les yeux et je me suis tournée vers Izzy. Elle dormait.

— Réveille-toi, Izzy! ai-je crié.

Elle s'est redressée brusquement, comme un petit diable à ressort.

— Tu as entendu? ai-je demandé.

— Entendu quoi? a-t-elle dit.

PLOUF! Encore ce bruit. Ça venait de la piscine, chez Sue!

11 On enquête

Izzy a pointé son appareil photo vers la piscine. *Clic!*

— Qu'est-ce que c'est? ai-je demandé. Qu'est-ce que tu vois?

— Pas grand-chose, a-t-elle dit, mais il y a *quelque chose* dans la piscine. On est juste un peu trop loin.

J'ai consulté mes notes. Les ours adorent nager!

— Izzy! ai-je dit. Je te parie que c'est l'ours! Prends un gros plan!

— J'essaie, a-t-elle protesté en ajustant l'objectif de son appareil

J'ai pris mon carnet et j'ai déverrouillé la porte du fort.

— Hilde! a lancé Izzy. Où vas-tu?

— Je dois enquêter! ai-je répondu.

— Es-tu folle? a crié Izzy en m'attrapant par le bras.

Je me suis tortillée pour qu'elle me lâche.

— Je vais juste jeter un petit coup d'œil par-dessus la clôture. Je reviens tout de suite, ai-je déclaré.

— Pas question! s'est écriée Izzy. On doit rester en sécurité derrière cette porte!

Je me suis retournée, je suis sortie en vitesse et j'ai glissé jusqu'en bas.

J'ai couru à la clôture.

Je me suis hissée avec les bras et j'ai passé la tête au-dessus de la clôture. Mais je ne pouvais pas me tenir assez droite pour voir de l'autre côté. Je suis retombée par terre avec un bruit sourd. Et mon carnet est tombé de ma poche.

Au moment où je me suis penchée pour le ramasser, je me suis rendu compte qu'il y avait quelqu'un (ou *quelque chose*) juste derrière moi!

Danger!

J'allais crier quand j'ai entendu une voix bien connue.

— Tiens, a dit Izzy en me tendant mon carnet.

Je le lui ai pris des mains.

— Je croyais qu'il fallait rester dans le fort? ai-je chuchoté.

— Qui est-ce qui va protéger ma petite sœur contre un ours géant si je ne suis pas là? a-t-elle demandé.

— Merci, ai-je dit. Et maintenant, allons voir ce qu'il y a derrière cette clôture!

Izzy m'a portée sur ses épaules. La première chose que j'ai remarquée, c'était que la porte qui donne accès à la piscine de Sue était encore ouverte. Puis j'ai vu des traces mouillées qui s'éloignaient de la piscine.

Et ensuite, j'ai vu quelque chose bouger dans un gros buisson, dans la cour de Sue.

Je suis restée figée.

Deux yeux ronds et noirs me fixaient.

13 Ou-ou-ours!

Sans détourner le regard, j'ai balbutié :

— Izzy, c'est l'ou-ou-ours!

— Vite! s'est exclamée Izzy. Appelle Pam!

J'ai mis la main dans ma poche pour attraper mon téléphone, mais je tremblais tellement que je l'ai laissé tomber... dans la cour de Sue!

— Hilde! a crié Izzy.

En tombant par terre, le téléphone a fait sursauter l'ours... qui s'est mis à courir! J'ai étouffé un cri. Au début, j'ai cru que mes yeux me jouaient des tours...

C'était bel et bien un ours! Mais pas un ours

géant. C'était la créature la plus mignonne que j'avais vue de ma vie! Un ourson à fourrure noire, à peine plus haut qu'une borne-fontaine.

Ce petit animal n'allait sûrement pas nous manger! Mais il avait faim, c'était évident. Il a remarqué notre tas de bleuets, près de la porte, et il s'est lancé sur la piste qu'on avait tracée.

— Izzy, ce n'est qu'un bébé! ai-je dit. Et il se dirige vers notre cour!

Izzy m'a fait descendre de ses épaules. On a couru jusqu'à la galerie à l'arrière de la maison.

Mon père est sorti juste à ce moment-là.

— J'ai entendu des cris! Est-ce que tout le monde est...?

Il s'est tourné pour voir ce qu'on regardait.

— Ça alors! s'est-il écrié.

— On t'avait dit qu'il y avait un ours en cavale, a dit Izzy.

— C'est vrai, a répondu mon père. J'aurais dû vous écouter, les filles!

— Tu as eu peur, on dirait, ai-je dit en riant. C'est seulement un adorable petit ourson!

— Il est peut-être adorable cet ourson, a répliqué mon père, mais la mère n'est probablement pas loin. Et les ourses peuvent être très dangereuses quand elles pensent qu'un de leurs petits est en danger.

Izzy a pris des photos de l'ourson. *Clic! Clic!*

J'ai emprunté le téléphone de mon père et j'ai appelé Pam.

— On a trouvé l'ours. Il est dans notre cour en ce moment! ai-je dit.

Je lui ai donné notre adresse.

— J'arrive! Merci, Hilde! a-t-elle répondu.

Ma mère a ouvert la porte.

— Rentrez vite, tous les trois! a-t-elle lancé.

Mes parents nous ont poussées à l'intérieur et on s'est installés à la fenêtre de la cuisine pour voir ce qui se passait.

L'ourson s'empiffrait de bleuets!

— Je me demande comment ce petit ourson est arrivé jusqu'ici, a dit papa.

— Moi, je le sais, ai-je répondu en souriant. Il a eu peur en entendant le vacarme des camions sur le chantier de construction. Alors il est sorti de la forêt. Et puis il a eu faim et il est parti chercher à manger. D'abord, il a trouvé la poubelle de M. Troutman.

Mon père a hoché la tête.

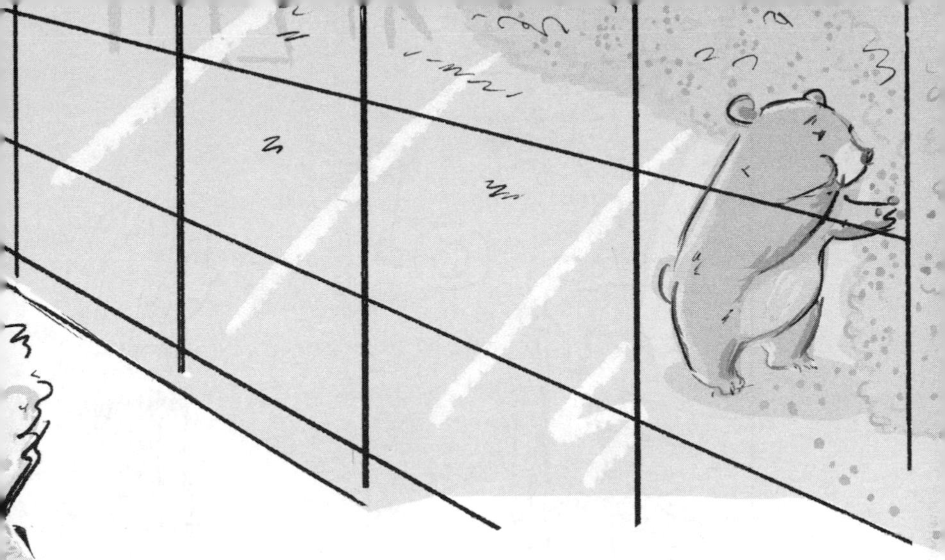

— Ensuite, il a traversé le parc Rotary en courant. C'est probablement à ce moment-là qu'il a senti les fruits séchés de Brian, ai-je ajouté. Et c'est pour cela qu'il a gratté la porte chez Sue : pour atteindre la nourriture. Et puis, après avoir exploré un peu, il est revenu vers la piscine, juste parce que les ours adorent nager. Après, il a eu encore faim.

— Et il a trouvé notre piste de bleuets, qui l'a mené tout droit à nos plants, a ajouté Izzy.

— Je n'aime pas beaucoup que mes filles attirent des ours à la maison, a dit ma mère.

— Ne t'en fais pas, maman. On a appelé l'agente de la faune, Pam, ai-je répondu. Elle est en chemin.

Au même moment, on a entendu frapper à la porte.

14 Le retour à la nature

J'ai couru ouvrir la porte. Une femme en uniforme brun avec une étoile dorée épinglée sur son chemisier se tenait devant moi.

— Bonjour, je suis Pam, l'agente de la faune, a-t-elle dit.

— Bonjour, je suis Hilde, du journal *Orange Street News*, ai-je répondu.

— Enchantée, a dit Pam. Et maintenant, où est cet ours que vous avez trouvé?

J'ai conduit Pam vers la fenêtre.

— Tu as bien fait de m'appeler tout de suite. Si vous n'aviez pas fait tout ce travail, les habitants de Selinsgrove auraient pu avoir de sérieux problèmes et cet ourson aussi, a-t-elle dit. Maintenant, attendez ici pendant que je l'attrape en toute sécurité.

Elle est allée à sa fourgonnette et elle en a sorti une grande cage grillagée qu'elle a placée au milieu de notre cour. Ensuite, elle a lancé des granules de nourriture dans la cage et aux alentours, et elle a reculé lentement. Elle avait tracé une piste, exactement comme nous!

On a attendu bien tranquillement derrière la fenêtre.

Quand il a eu fini de manger les bleuets, l'ourson a levé son petit museau et a marché lentement jusqu'aux granules dans la cage.

La porte de la cage s'est refermée brusquement.

L'ourson n'a pas vraiment eu l'air de se rendre compte qu'il était enfermé. Il a continué à manger calmement.

Pam a transporté la cage jusqu'à sa fourgonnette. On a couru dehors tous les quatre. Je me suis précipitée chez la voisine pour récupérer mon téléphone et je suis revenue en vitesse.

— J'ai l'impression que ce petit ours noir ne cherchait pas à faire peur ou à faire mal à qui que ce soit, a expliqué Pam en se tournant vers Izzy et moi. Il a probablement été effrayé par les camions du chantier de construction dans la forêt de Selinsgrove et il s'est aventuré en ville pour trouver de la nourriture.

Quelle belle citation pour mon article! Je l'ai retranscrite mot pour mot.

— C'est exactement ce que Hilde a dit! s'est exclamé mon père.

J'ai bien vu qu'il était fier de moi.

— Où allez-vous emmener l'ourson? ai-je demandé.

— Je vais le ramener dans la forêt, a répondu Pam. Je dois essayer de lui faire retrouver sa maman.

— Est-ce qu'on peut venir aussi? a demandé Izzy.

— C'est grâce à vous deux si on a trouvé cet ourson aujourd'hui, a répondu Pam en souriant. Alors, évidemment que vous pouvez venir! Du moins si vos parents sont d'accord.

— Bien sûr, allez-y au pas « d'ours »! a répondu mon père.

Izzy et moi, on s'est mises à sauter sur place.

15 La maman ourse

Dans la fourgonnette, on a regardé l'ourson derrière nous. Il dormait, ses pattes minuscules sur son petit museau!

— Il est tellement mignon! ai-je chuchoté. J'ai juste envie de le manger tout cru!

— Tu mangerais n'importe quoi, toi! a répliqué Izzy en riant.

Pam a roulé quelques minutes sur une route cahoteuse dans la forêt de Selinsgrove. Puis, elle a arrêté la fourgonnette.

— Je peux vous dire qu'une famille d'ours vit ici, a déclaré Pam en montrant des arbres égratignés. Donc, la maman de l'ourson pourrait être tout près. Attendez-moi ici toutes les deux.

Izzy et moi, on s'est approchées de la vitre pendant que Pam se dirigeait vers l'arrière du véhicule. Elle a déposé doucement la cage par terre et elle l'a ouverte lentement.

L'ourson ne s'est même pas réveillé. Pam s'est

dépêchée de remonter dans la fourgonnette et a roulé sur une courte distance.

— Voilà, a-t-elle dit en coupant le moteur. Et maintenant, on attend.

On a attendu.

Au bout d'un moment, un gros ours noir a descendu la côte d'un pas lourd.

— Il est énorme, cet ours! s'est écriée Izzy.

— C'est sans doute la maman! ai-je ajouté.

— En effet, a dit Pam.

Izzy a ajusté son objectif et a commencé à prendre des photos en gros plan.

Clic! Clic!

L'ourse s'est approchée de son petit et elle l'a poussé doucement avec son nez. L'ourson s'est réveillé et a frotté son museau contre celui de sa maman.

— Il a l'air tellement content! a dit Izzy.

— Il l'est, a répondu Pam en souriant.

Les deux ours ont monté la côte en courant avant de disparaître derrière les arbres.

VRRRROUM! Un camion est passé en grondant.

J'ai froncé les sourcils.

— Ces camions font tellement de bruit! Comment peut-on être certaines que l'ourson n'aura pas peur encore une fois et qu'il ne reviendra pas en ville?

— On ne peut pas, a répondu Pam. On peut juste espérer que les animaux de la forêt s'habitueront à tous les changements. Et que cet ourson va maintenant rester plus près de sa maman. Mais ne vous inquiétez pas, les filles. Il y aura toujours des agents de la faune, comme moi, pour les aider.

Sur le chemin du retour, dans la fourgonnette de Pam, j'ai fini de taper mon histoire. Izzy a ajouté d'excellentes photos, et j'ai mis l'article en ligne avant 8 heures du matin!

Quand on est sorties de la fourgonnette, Pam nous a remis deux étoiles dorées, exactement comme l'insigne qu'elle portait.

— Maintenant, vous êtes des agentes de la faune à titre bénévole, a-t-elle dit. Personne ne savait où était cet ourson jusqu'à ce que vous fassiez votre enquête toutes les deux!

On a épinglé nos insignes sur nos tee-shirts.

— Super! ai-je dit. Merci!

— C'est génial, a ajouté Izzy.

Juste à ce moment-là, on a entendu des sirènes.

— On dirait un camion d'incendie! ai-je lancé.

Izzy m'a regardée.

— Hilde, est-ce que tu penses la même chose que moi? a-t-elle demandé.

— Allons voir où mènent ces sirènes, Izzy! ai-je répliqué. Cette piste promet d'être chaude!

8 h

En exclusivité!

UN OURS CAPTURÉ EN VILLE[1] !

PAR HILDE KATE LYSIAK

Un ourson noir a été capturé par les agents de la faune après avoir passé la journée d'hier à errer dans Selinsgrove[2].

PHOTO : ISABEL ROSE LYSIAK

Tout a commencé peu après 18 heures hier, quand l'ourson a griffé une mangeoire à oiseaux au Marché de la ville. Il a ensuite traversé le parc Rotary avant de se retrouver dans la rue Orange, où il a égratigné et brisé le verrou d'une porte. Il a finalement été attrapé par l'agente de la faune, Pam, à 6 h 30 ce matin, alors qu'il mangeait des bleuets sauvages dans cette rue[3].

faire de mal à qui que ce soit. Il a probablement été effrayé par les camions du chantier de construction dans la forêt de Selinsgrove et il s'est aventuré en ville pour trouver à manger », a indiqué l'agente de la faune, Pam, à l'*Orange Street News* [4].

PHOTO : ISABEL ROSE LYSIAK

« C'est une bonne chose que nous l'ayons trouvé parce que même un ourson aussi jeune peut causer beaucoup de dommages, sans oublier qu'il aurait pu se blesser », a ajouté Pam [5].

L'ourson a retrouvé sa maman ce matin dans la forêt de Selinsgrove [6].

1. TITRE 2. ACCROCHE 3. DÉVELOPPEMENT 4. CITATION 5. JUSTIFICATIF 6. CHUTE

QUI? **Hilde Lysiak**

QUOI? Hilde publie vraiment son propre journal, l'*Orange Street News!* Tu peux le lire sur Internet (en anglais seulement).

QUAND? Hilde a commencé à réaliser son journal à l'âge de sept ans, avec des crayons et du papier. Elle a aujourd'hui des millions de lecteurs!

OÙ? Hilde vit à Selinsgrove, en Pennsylvanie.

POURQUOI? Hilde adore l'aventure. Elle est très curieuse et elle pense qu'on n'a pas besoin d'être adulte pour faire de grandes choses dans le monde!

COMMENT? Le journal de Hilde existe grâce aux indices fournis par des gens comme toi!

Matthew Lysiak est le père et le coauteur de Hilde. Il a travaillé comme journaliste au *New York Daily News*.

Joanne Lew-Vriethoff est née en Malaisie et elle a grandi à Los Angeles. Elle a obtenu son baccalauréat en illustration à l'Art Center College of Design de Pasadena. Elle vit aujourd'hui à Amsterdam, où elle passe une bonne partie de son temps à illustrer des livres pour enfants.

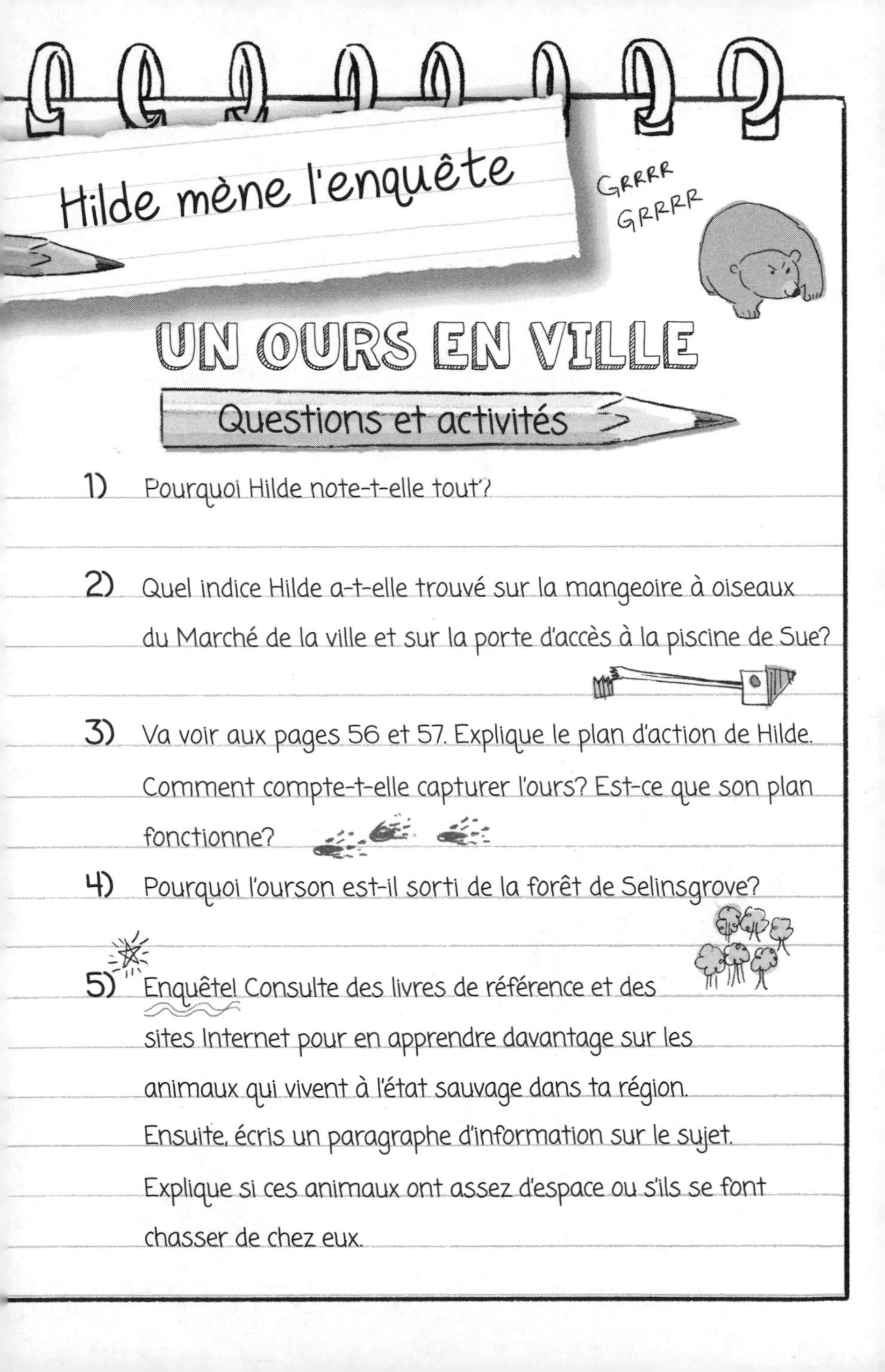

Hilde mène l'enquête

UN OURS EN VILLE

Questions et activités

1) Pourquoi Hilde note-t-elle tout?

2) Quel indice Hilde a-t-elle trouvé sur la mangeoire à oiseaux du Marché de la ville et sur la porte d'accès à la piscine de Sue?

3) Va voir aux pages 56 et 57. Explique le plan d'action de Hilde. Comment compte-t-elle capturer l'ours? Est-ce que son plan fonctionne?

4) Pourquoi l'ourson est-il sorti de la forêt de Selinsgrove?

5) Enquête! Consulte des livres de référence et des sites Internet pour en apprendre davantage sur les animaux qui vivent à l'état sauvage dans ta région. Ensuite, écris un paragraphe d'information sur le sujet. Explique si ces animaux ont assez d'espace ou s'ils se font chasser de chez eux.